Les régions de France

écrit par **Sandrine Mirza**
illustré par **Emmanuel Cerisier**

Sommaire

Combien y a-t-il de régions ?

Située à l'ouest de l'Europe, la France couvre un grand territoire de 552 000 km^2. Elle est découpée en cinq niveaux administratifs : les régions, les départements, les arrondissements, les cantons et les communes. Le 1er janvier 2016, le nombre de régions a diminué. À la suite d'une importante réforme territoriale, il est passé de 22 à 13*.

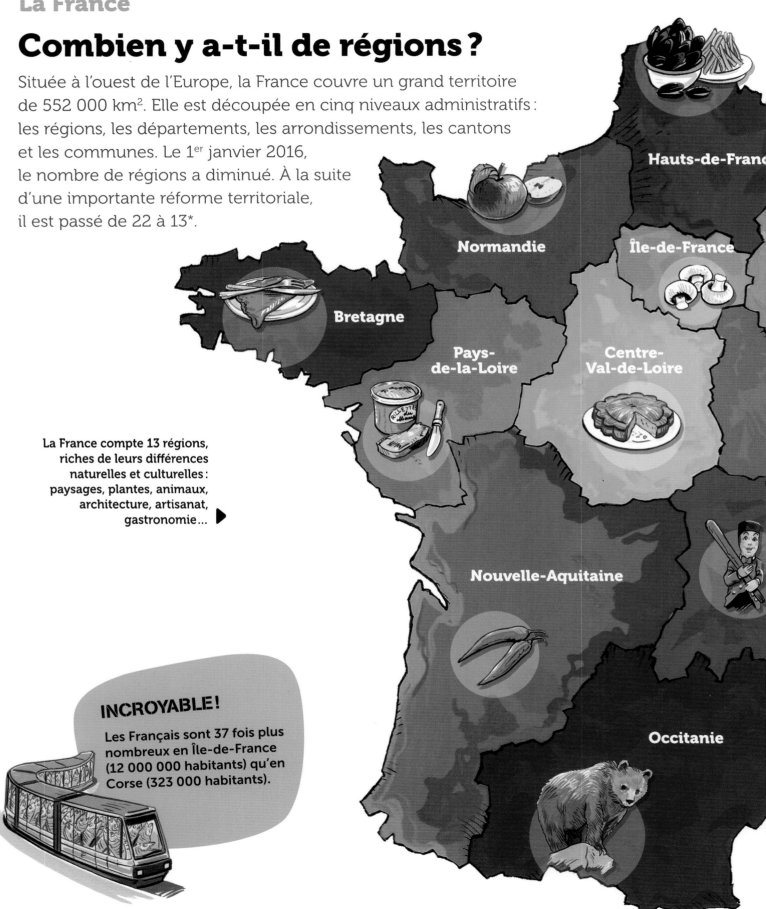

La France compte 13 régions, riches de leurs différences naturelles et culturelles : paysages, plantes, animaux, architecture, artisanat, gastronomie… ▶

Hauts-de-France

Normandie

Île-de-France

Bretagne

Pays-de-la-Loire

Centre-Val-de-Loire

Nouvelle-Aquitaine

Occitanie

INCROYABLE !

Les Français sont 37 fois plus nombreux en Île-de-France (12 000 000 habitants) qu'en Corse (323 000 habitants).

Que signifie DROM-COM ?

Ce sigle signifie « départements et régions d'outre-mer-collectivités d'outre-mer ». Il désigne les territoires français éparpillés dans le monde. Les DROM obéissent aux mêmes lois que les départements et les régions de la France métropolitaine, qui se trouve en Europe. Les COM (Polynésie française, Saint-Pierre-et-Miquelon, Saint-Barthélemy...) sont plus autonomes.

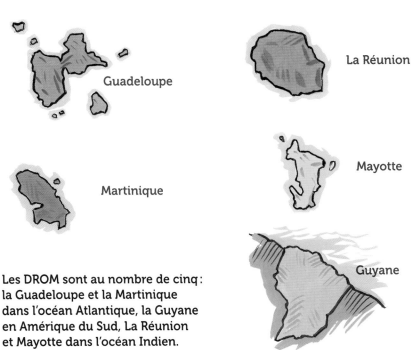

Guadeloupe

La Réunion

Martinique

Mayotte

Guyane

Les DROM sont au nombre de cinq : la Guadeloupe et la Martinique dans l'océan Atlantique, la Guyane en Amérique du Sud, La Réunion et Mayotte dans l'océan Indien.

Grand-Est

Bourgogne-Franche-Comté

Auvergne-Rhône-Alpes

Provence-Alpes-Côte-d'Azur

Corse

Parle-t-on français partout ?

Oui, car le français est la langue officielle de la République française. Cependant, certains Français continuent de pratiquer aussi leur langue régionale, comme le basque, le catalan, le breton, le corse, l'alsacien... Ces langues peuvent être enseignées dans les écoles et présentées comme épreuves du baccalauréat.

Hauts-de-France
Lille

gaufres

moules-frites

dentelle de Calais

Qu'est-ce qu'un terril ?

Dans le Nord-Pas-de-Calais, dans les anciennes mines de charbon ont été extraits et rejetés à la surface des tas de terre et de pierres. Appelés « terrils », ces amas forment des collines artificielles, souvent coniques. La commune de Loos-en-Gohelle possède deux terrils jumeaux qui s'élèvent à 186 m ; ce sont les plus hauts d'Europe.

Aujourd'hui, les terrils de Loos-en-Gohelle sont devenus des sites touristiques où l'on peut pratiquer divers loisirs : marche, VTT, cerf-volant, parapente…
▼

Quelle est la capitale du cheval ?

Les amoureux des chevaux se retrouvent à Chantilly. Dans les Grandes Écuries du château, ils visitent le musée du Cheval et admirent de splendides spectacles équestres. À l'hippodrome, ils se passionnent pour diverses compétitions : courses et sauts d'obstacles. En juin, le prix de Diane est la course la plus célèbre.

Le prix de Diane est un rendez-vous ultra chic : alors que les pur-sang s'affrontent sur la pelouse, les dames rivalisent d'élégance et portent d'incroyables chapeaux.

INCROYABLE !

La baie de Somme abrite la plus grande colonie française de phoques veaux-marins. Les mâles mesurent jusqu'à 2 m.

Où pleut-il des harengs ?

À Dunkerque, au bord de la mer du Nord. Chaque année, de janvier à mars, la ville accueille un carnaval haut en couleur. Les gens se déguisent et descendent dans les rues pour faire la fête : ils défilent bras dessus bras dessous et chantent à tue-tête ! L'un des temps forts du carnaval se passe sous le balcon de l'hôtel de ville, quand le maire jette des harengs fumés à la foule.

Normandie
Rouen

vache noire
et blanche

camembert

pomme

Le Mont-Saint-Michel est-il une île ?

Oui et non. L'abbaye et son village ont été construits sur un rocher de granit, au beau milieu d'une baie. À marée basse, l'îlot est entouré de sable mais, à marée haute, il est cerné par la mer. De plus, le Mont-Saint-Michel se distingue par l'ampleur exceptionnelle de ses grandes marées, les plus fortes d'Europe : l'eau monte très vite (6 km/h) et le niveau de la mer s'élève d'environ 14 m, soit la hauteur d'un immeuble de 4 étages !

Surnommé « la Merveille de l'Occident », le Mont-Saint-Michel est à la fois un site naturel unique et un chef-d'œuvre de l'architecture médiévale. ▶

Quel est le plus grand port de Normandie ?

Situé sur la Manche, à l'embouchure de la Seine, Le Havre est le principal port de Normandie et le deuxième plus grand port de France, derrière Marseille. Il accueille toutes sortes de bateaux, pour les loisirs, la pêche et le commerce. Il est spécialisé dans le transport de conteneurs, d'énormes caissons métalliques remplis de marchandises. Ceux-ci sont chargés et déchargés sur des navires, dans des camions et des trains.

INCROYABLE!

La plage d'Arromanches a gardé d'impressionnants vestiges de la Seconde Guerre mondiale : un port artificiel construit en juin 1944, pour le débarquement.

Le Havre est le premier port français pour les conteneurs. Il peut recevoir les plus gros porte-conteneurs du monde, des navires géants qui mesurent jusqu'à 400 m de long. ▶

TERMINAL OUEST OCEAN

Grand-Est
Strasbourg

cigogne

cristal
de Baccarat

biscuit rose
de Reims

Où se trouve
le Parlement européen ?

Le siège du Parlement européen est à Strasbourg.
Les 751 représentants des 28 États membres de l'Union
européenne y viennent pour discuter et voter les lois
communautaires. Ils se réunissent dans le plus vaste
hémicycle d'Europe, une salle circulaire immense,
au cœur du bâtiment Louise-Weiss.

Aujourd'hui, pas moins
de 24 langues officielles
résonnent dans l'hémicycle
du Parlement européen.
Des interprètes assurent
la traduction de chaque
intervention.
▼

Quel est le « fruit d'or » lorrain ?

La mirabelle, une petite prune ronde, de couleur jaune. La Lorraine assure environ 80 % de la production mondiale de mirabelles ! Elle possède plus de 1 000 hectares de mirabelliers. Un quart de la récolte est consommé en fruits frais, le reste est transformé : confiture, sirop, produits surgelés, eau-de-vie...

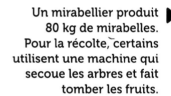

Un mirabellier produit 80 kg de mirabelles. Pour la récolte, certains utilisent une machine qui secoue les arbres et fait tomber les fruits.

Qu'est-ce qu'une « crayère » ?

En Champagne, une crayère est une cave creusée dans la craie, souvent une ancienne carrière gallo-romaine. Les vignerons y entreposent leurs bouteilles de Champagne, un vin pétillant, célèbre dans le monde entier. Le melchisédech est la plus grande, la plus grosse et la plus rare des bouteilles de Champagne : elle mesure 1,10 m de haut, pèse 52 kg et contient 30 litres !

Île-de-France
Paris

la mode,
le luxe

champignons
de Paris

paris-brest

Paris est unique, pourquoi ?

Parce que c'est la capitale de la France. Paris abrite les principales institutions de la République française : le palais de l'Élysée, où travaille le président, les ministères, l'Assemblée nationale, le Sénat… Paris est également un haut lieu touristique, la troisième ville la plus visitée au monde, réputée pour ses monuments somptueux et ses quartiers pleins de charme.

Inauguré en 1977, le Centre Pompidou se distingue par la modernité et l'originalité de son architecture d'acier et de verre.
▼

INCROYABLE !

Juste devant Notre-Dame de Paris, une borne indique le point zéro des routes de France. Elle sert de référence pour calculer les distances entre la capitale et les autres villes de France.

◀ Construite par Gustave Eiffel, pour l'Exposition universelle de 1889, la tour Eiffel est le symbole de Paris.

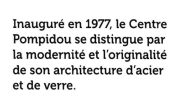

Où voit-on des gratte-ciel ?

La Défense, au nord-ouest de Paris, est un quartier moderne, hérissé de tours. On peut y admirer le plus haut gratte-ciel français : la tour First, qui culmine à 231 m. Ces immeubles immenses accueillent des logements et surtout des bureaux, car la Défense est le premier quartier d'affaires d'Europe. De nombreuses banques, compagnies d'assurance et grandes entreprises s'y sont installées.

Qu'est-ce qui est vert sur 250 km² ?

Il s'agit de la forêt de Fontainebleau, à 60 km au sud-est de Paris. Le promeneur y trouve des arbres majestueux et beaucoup d'animaux : sangliers, cerfs, chevreuils, renards... Il y découvre également de spectaculaires curiosités naturelles : une mer de sable fin et d'énormes chaos rocheux.

La cathédrale Notre-Dame se dresse au cœur de Paris, sur l'île de la Cité, depuis le Moyen Âge. ▶

Ancien palais royal, maintes fois réaménagé, le Louvre abrite aujourd'hui un immense musée. ▼

Bretagne
Rennes

crêpes

faïence
de Quimper

boîte
de sardines

Ça mord ?

Tournée vers la mer, la Bretagne est la première
région française pour la pêche. Ses marins pêcheurs
fournissent plus de la moitié des poissons, des crustacés
et des coquillages prélevés par la France. En haute mer
ou le long des côtes, ils pratiquent différentes techniques :
ils tendent des filets, jettent des lignes avec des hameçons,
posent des casiers ou raclent les fonds.

Les chalutiers, les navires de pêche
les plus courants, ramènent dans
leur filet du merlu, du thon,
du maquereau, du bar,
de la dorade, de la sardine…
▼

Le 5 décembre 2012, l'Unesco a reconnu le fest-noz comme patrimoine culturel immatériel de l'humanité.

Qu'est-ce qu'un fest-noz ?

Les Bretons appellent « fest-noz » une fête de nuit qui met à l'honneur la culture bretonne. Dans une ambiance joyeuse et chaleureuse, ils dansent au son du biniou et de la bombarde, deux instruments typiques de la musique bretonne. La gavotte est la danse traditionnelle la plus populaire : les danseurs forment une ronde ou une chaîne et exécutent des pas précis en se tenant par les mains.

INCROYABLE !

À Carnac, se dressent 2934 menhirs. Ces pierres énormes ont été alignées par l'homme il y a environ 5000 ans, mais personne ne sait pourquoi !

Pays-de-la-Loire
Nantes

bonnotte
de Noirmoutier

muguet

rillettes du Mans

Quel rendez-vous attire les fous du volant ?

Tous les ans, en juin, les meilleurs pilotes automobiles
se mesurent sur le circuit des 24 Heures du Mans,
la plus grande course d'endurance au monde.
Depuis 2010, le record est de 5 410,713 km parcourus
en 24 heures, soit 397 tours à une vitesse moyenne
de 225 km/h. Cependant, en 1988, le Français
Roger Dorchy a atteint la vitesse fulgurante
de 405 km/h en ligne droite ! Cet événement
sportif s'accompagne de nombreuses animations :
parade des pilotes, fête foraine, concerts…

◀ Une foule nombreuse
se presse aux 24 Heures du Mans
pour admirer les bolides
et faire la fête.

Que récolte-t-on à Guérande ?

Depuis des siècles, la ville exploite les marais salants qui l'entourent et produit un sel réputé pour son excellente qualité. Cette activité est totalement naturelle : l'eau de mer venue du large pénètre dans les marais, remplit une succession de bassins, s'évapore progressivement et dépose des cristaux de sel. La récolte se fait à la main, grâce à une sorte de grand racloir en bois.

Le paludier est le professionnel des marais salants, celui qui s'occupe des bassins et qui récolte le sel.
▼

Centre-Val-de-Loire
Orléans

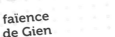

faïence
de Gien

safran
du Gâtinais

gâteau
pithiviers

Quels monuments font la joie des touristes ?

Le Val de Loire possède un patrimoine exceptionnel : châteaux de la Loire, Amboise, Azay-le-Rideau, Blois, Chambord, Chenonceau, Cheverny, Ussé, Villandry... Tous ces géants de pierre séduisent par l'élégance de leur architecture. Ils rappellent la splendeur de la cour des rois de France, l'esprit de la Renaissance et l'art de vivre à la française.

Le château de Chenonceau enjambe le Cher grâce à un surprenant pont-galerie qui servait de salle de bal.
▼

Qu'appelle-t-on « le grenier de la France » ?

Le plateau de la Beauce est surnommé « le grenier de la France » en raison de sa fertilité et de sa production agricole. Son paysage est marqué par de vastes champs ouverts, surtout plantés de céréales : blé, orge, maïs. Mais les agriculteurs beaucerons cultivent aussi le colza, la betterave à sucre et la pomme de terre.

INCROYABLE !

Trôo est un charmant village troglodyte; il est parcouru de ruelles et d'escaliers qui mènent à des habitations creusées dans la roche.

En Beauce, les champs de blé s'étendent à perte de vue. Pour les moissonner, les agriculteurs utilisent d'énormes moissonneuses-batteuses. ▶

La Loire est-elle un long fleuve tranquille ?

Oui et non. Avec ses 1 012 km, la Loire est le plus long fleuve de France. Mais c'est aussi le dernier fleuve sauvage d'Europe ! Particulièrement capricieuse, la Loire se montre souvent imprévisible, voire dangereuse : asséchée, elle forme un labyrinthe de bancs de sable instables ; en crue, elle provoque de graves inondations.

comté

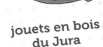

jouets en bois
du Jura

grappe de raisin
chardonnay

Que fabrique-t-on à Sochaux?

La Franche-Comté est la partie la plus industrielle de France, notamment grâce au secteur automobile. L'usine Peugeot-Citroën de Sochaux s'étend sur 259 hectares et dispose d'une chaîne de fabrication ultramoderne : toutes sortes de robots exécutent un véritable ballet pour façonner, assembler, souder et peindre les pièces de tôle. Chaque jour, l'usine produit 1 801 voitures !

Ouvriers, techniciens, ingénieurs… l'usine Peugeot-Citroën de Sochaux emploie 9 964 salariés, dont 19,1 % de femmes.
▼

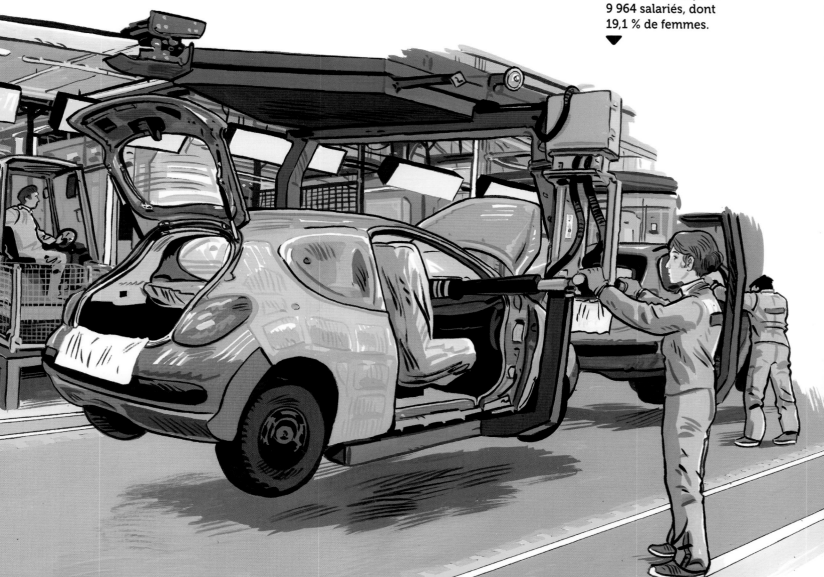

Selon le poète Alphonse de Lamartine, la roche de Solutré ressemble à un navire pétrifié, surplombant une mer de vignes.
▼

Quelle curiosité naturelle symbolise la Bourgogne?

Il s'agit de la roche de Solutré, un phénomène géologique rare dans cette région. Cet éperon rocheux est un massif corallien fossilisé, né dans la mer chaude qui couvrait la Bourgogne il y a environ 160 millions d'années! Il est apparu suite à une série de chamboulements: retrait de la mer, mouvement de terrain dû à la formation des Alpes et usure des sols alentour. Aujourd'hui, il culmine à 492 m et attire de nombreux promeneurs.

INCROYABLE!

Depuis 1997, des ouvriers construisent le château fort de Guédelon selon les techniques et avec les matériaux utilisés au Moyen Âge.

Nouvelle-Aquitaine
Bordeaux

piment
d'Espelette

espadrilles
de Mauléon

grappe de raisin
cabernet sauvignon

Les ostréiculteurs travaillent
au rythme de la nature. À marée
basse, ils vont dans les parcs pour
nettoyer et retourner
les poches à huîtres.

Que font
les ostréiculteurs ?

Ils élèvent des huîtres, une des spécialités charentaises.
Ils récupèrent les larves lâchées dans la mer et ils les
placent dans des parcs d'élevage pour les contrôler
et les protéger. Il leur faut trois à quatre ans de travail
pour amener une huître à maturité. La Charente-
Maritime produit aussi des moules de bouchot,
élevées par des mytiliculteurs.

Quelle est la spécialité de Limoges ?

Limoges est réputée pour sa porcelaine, une céramique d'excellente qualité : dure, blanche et translucide. Les manufactures fabriquent surtout des services de table et des objets de décoration. Elles réalisent aussi bien des modèles classiques que des collections modernes, dessinées par des artistes contemporains.

INCROYABLE !

À l'entrée du bassin d'Arcachon, s'élève une immense dune de sable : la dune du Pilat. Avec ses 110 m de haut, c'est la plus grande d'Europe.

Qui est le roi Léon ?

Chaque été, fin juillet, les fêtes de Bayonne commencent par l'apparition de leur mascotte : le roi Léon, une marionnette géante. Elles se poursuivent avec des courses de vaches, des tournois de pelote basque, des défilés de chars, des concerts, des bals populaires, des feux d'artifice... Elles attirent une foule joyeuse, habillée en rouge et blanc.

Aux fêtes de Bayonne, tout le monde se presse pour acclamer le roi Léon et sa cour : la favorite, le fou, le maréchal, le chocolatier, la gouvernante et le médecin.
▼

Auvergne-Rhône-Alpes

Lyon

couteaux
de Laguiole et de Thiers

raclette

Guignol

Qu'est-ce que l'or blanc ?

Les Alpes sont les plus hautes montagnes d'Europe, dominées par le mont-Blanc qui culmine à 4 810 m. L'hiver, elles sont couvertes de neige, leur « or blanc » qui attire les amateurs de sports d'hiver et fait vivre les professionnels de la montagne : moniteurs de ski, pisteurs, dameurs de pistes, loueurs de matériel, hôteliers, restaurateurs, etc.

▲ Les alpinistes gravissent des parois rocheuses ou des cascades de glace. Pour réaliser ces exploits, ils s'entraînent beaucoup et utilisent un matériel adapté : piolet, crampons, cordes...

▲ Quoi de mieux qu'une balade à traîneau à chiens pour admirer les somptueux paysages enneigés ?

◀ Ski alpin, ski de fond, snowboard, télémark... les sports de glisse se déclinent de mille et une façons.

Les volcans d'Auvergne sont-ils éteints?

Les montagnes du Massif central cachent de nombreux volcans, plus ou moins vieux. Actuellement, la chaîne des Puys semble bien inoffensive. Pourtant, sa dernière éruption remonte à moins de 7000 ans! Beaucoup de scientifiques pensent que son activité volcanique reprendra un jour, mais ils ne savent pas quand.

La randonnée en raquettes est l'activité idéale pour découvrir la nature et observer les animaux : bouquetins, chamois, lièvres, renards...

Peut-on entrer dans un bouchon?

Oui, car un bouchon est un petit restaurant typique de Lyon, la ville de la gastronomie. Dans une ambiance simple et chaleureuse, les clients y dégustent les principales spécialités lyonnaises : les quenelles de brochet, le tablier de sapeur, un morceau de gras-double pané et la cervelle de canut, une préparation à base de fromage blanc.

violette
de Toulouse

cassoulet

ours

Combien mesure le canal du Midi ?

Le canal du Midi est une longue voie d'eau, creusée à la main au XVIIᵉ siècle ! Il s'étire sur 240 km et relie la Garonne à la Méditerranée. Il est ponctué de divers ouvrages d'art, dont 63 écluses, 130 ponts et 55 aqueducs. De nos jours, il est fréquenté par de nombreux touristes qui aiment se promener sur ses berges ombragées ou naviguer sur ses eaux tranquilles.

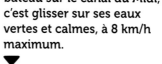

Faire une promenade en bateau sur le canal du Midi, c'est glisser sur ses eaux vertes et calmes, à 8 km/h maximum.
▼

Quelle industrie fait la force de Toulouse ?

La région toulousaine rayonne dans le secteur de l'aviation et de la conquête spatiale. Elle abrite le géant européen Airbus et bien d'autres entreprises qui fabriquent des avions et des satellites. Elle dispose de centres de formation pour les étudiants et de complexes scientifiques pour les chercheurs. Elle possède aussi des musées qui exposent toutes sortes d'appareils, dont l'avion supersonique Concorde.

▲
L'Airbus A380 est le plus gros avion civil du monde. Son premier vol a eu lieu le 27 avril 2005, à l'aéroport de Toulouse-Blagnac.

INCROYABLE !

Le gouffre de Padirac est un énorme trou dans la terre, de 35 m de diamètre et 75 m de profondeur. Il donne accès à une série de grottes féeriques, traversées par une rivière souterraine.

Provence-Alpes-Côte-d'Azur
Marseille

bouillabaisse

savon
de Marseille

lavande

Où trouve-t-on des rizières ?

Dans le delta du Rhône, s'étend une vaste zone entre terre
et mer : la Camargue. Son paysage unique se compose
de dunes de sable et de marais, peuplés de flamants
roses. Ses habitants y pratiquent la récolte du sel
dans des salines et la culture du riz dans des rizières.
Ils font également de l'élevage.

Les taureaux noirs de Camargue
vivent en semi-liberté dans des
pâturages marécageux. Ils sont
surveillés par des gardians,
montés sur de solides petits
chevaux blancs. ▼

Quel est le trésor de Grasse ?

La ville est réputée pour ses champs de fleurs et ses parfumeurs. Les principales fleurs cultivées sont la rose, la tubéreuse, le jasmin, la fleur d'oranger, la lavande, le mimosa, la violette, le lys et l'iris. Elles sont récoltées puis envoyées dans des parfumeries, qui s'occupent d'extraire et de mélanger leurs senteurs pour créer des parfums.

▲
Fleur emblématique de Grasse, la rose centifolia possède un parfum unique. Elle est cueillie chaque jour du mois de sa floraison, en mai, d'où son autre nom : la rose de Mai.

INCROYABLE !

Le petit port de Saint-Tropez compte 4 600 habitants. Mais il est célèbre dans le monde entier et, en plein été, il attire 80 000 visiteurs par jour !

Le Panier est-il habité ?

Absolument. C'est même le plus vieux quartier de la ville de Marseille, fondée par des marins grecs il y a environ 2 600 ans ! Situé au nord du Vieux-Port, il doit son charme à ses façades colorées, ses escaliers pentus, ses petites places et ses ruelles étroites, mais aussi à son ambiance de village provençal et à son âme populaire.

Corse
Ajaccio

saucisse
figatellu

fromage
brocciu

châtaigne

Qu'est-ce que le GR 20 ?

GR signifie « grande randonnée » ; il s'agit d'un sentier d'environ 200 km, qui traverse la montagne corse du nord au sud. L'itinéraire est difficile et dangereux ; il est réservé à un public sportif et expérimenté. Mais ceux qui le parcourent vivent une aventure exceptionnelle dans un paysage grandiose : hauts sommets, comme le monte Cinto, qui culmine à 2 706 m, cirques rocheux, lacs d'altitude, cascades, forêts, etc.

INCROYABLE !

Falaises rouges déchiquetées, à-pics vertigineux, aiguilles acérées, blocs en équilibre... les calanches de Piana offrent un décor naturel spectaculaire. Il y a même un rocher troué en forme de cœur !

Sur le GR 20, gare au vertige, surtout pour les randonneurs qui franchissent la passerelle de Spasimata, suspendue à une quinzaine de mètres au-dessus d'un ruisseau.

▼

Comment sont les plages ?

Avec leur eau transparente d'un bleu turquoise incomparable, leur sable blanc extrêmement fin et leurs magnifiques pins parasols, les plages corses sont d'une beauté à couper le souffle. Des longues étendues de la côte est aux petites criques de la côte ouest, elles bénéficient d'un paysage naturel et sauvage particulièrement bien conservé.

À la plage, les activités sont nombreuses : tandis que certains plongent, d'autres barbotent, jouent au ballon, font des châteaux de sable ou se reposent.

31

MIXTE
Papier issu de
sources responsables
FSC® C022030

Texte : Sandrine Mirza
Illustrations : Emmanuel Cerisier
Édition : Isabelle Yafil
Relecture : Karine Elsener
Photogravure : Irilys

mes-questions-reponses.fr
www.nathan.fr

Le découpage et le nom des régions correspondent, au moment de l'impression,
à ceux indiqués sur le site http://www.gouvernement.fr/action/la-reforme-territoriale